# How many?

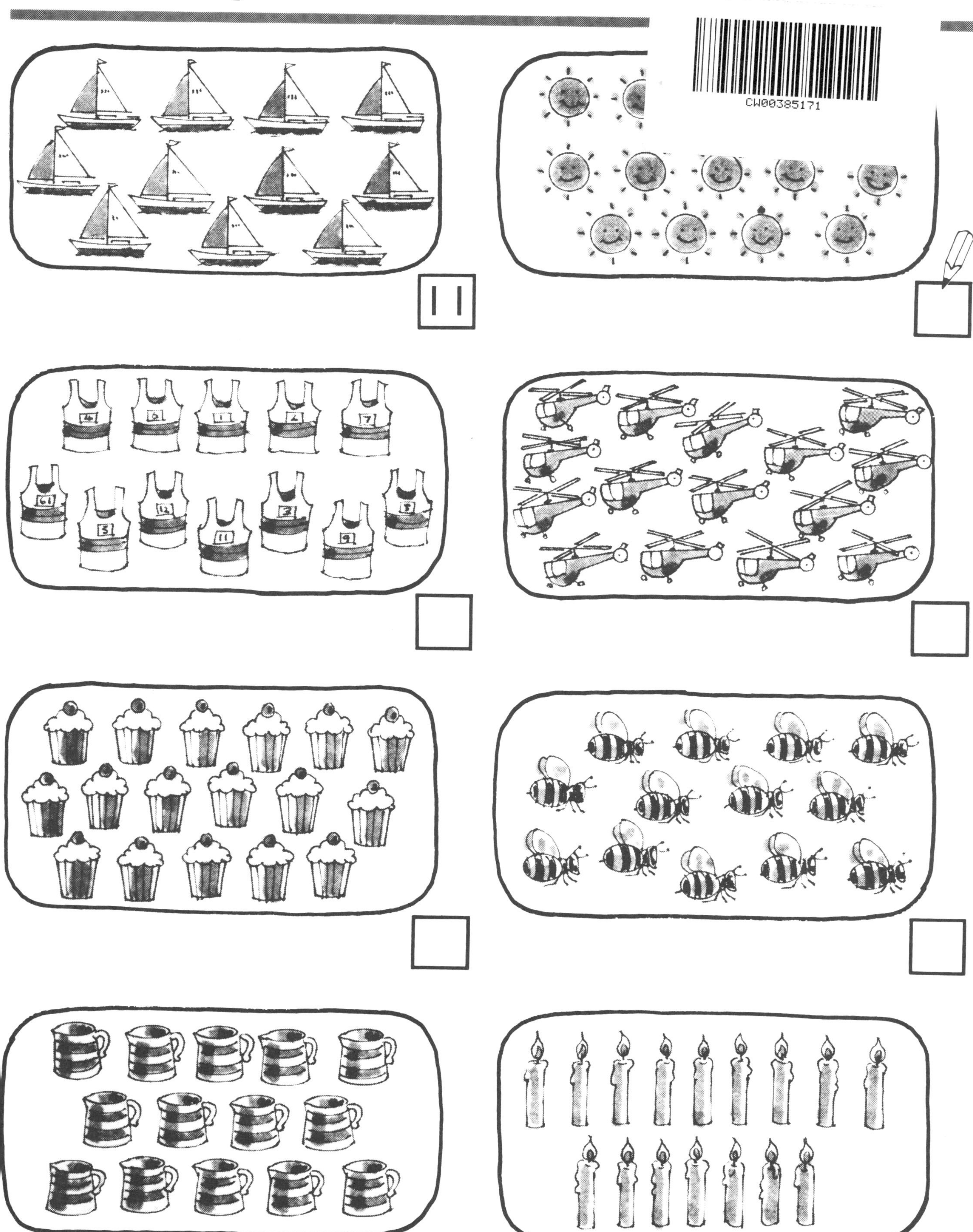

# How many?

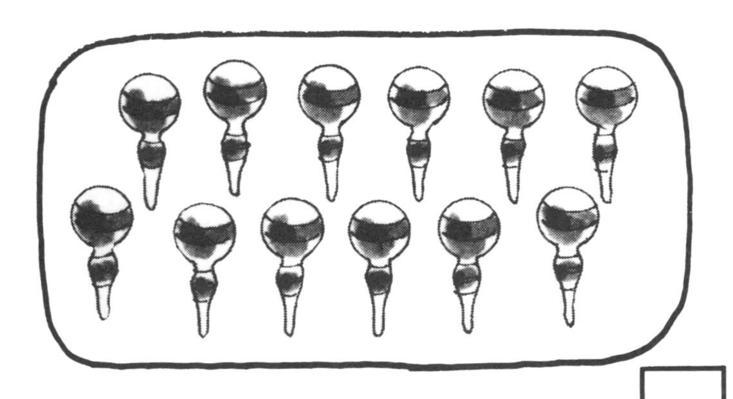

# How many 10s and 1s?

| | 10s | 1s |
|---|---|---|
| 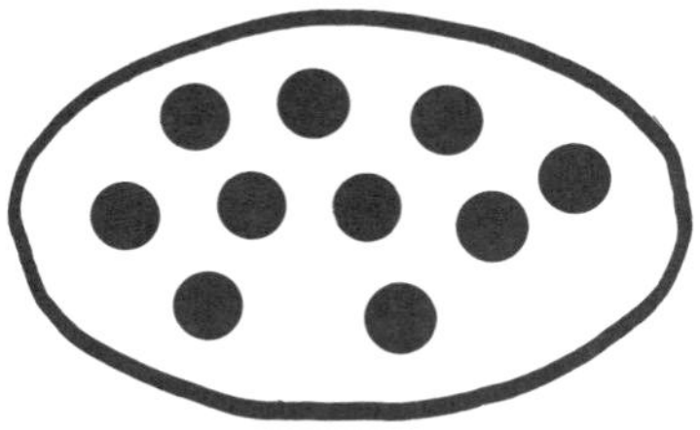 | 1 | 0 |
| 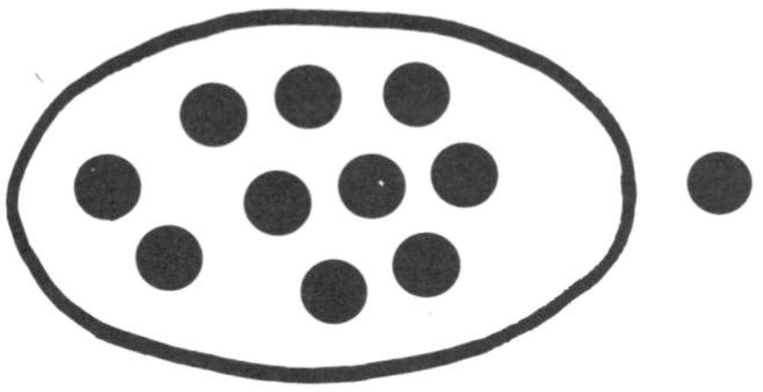 | | |
| 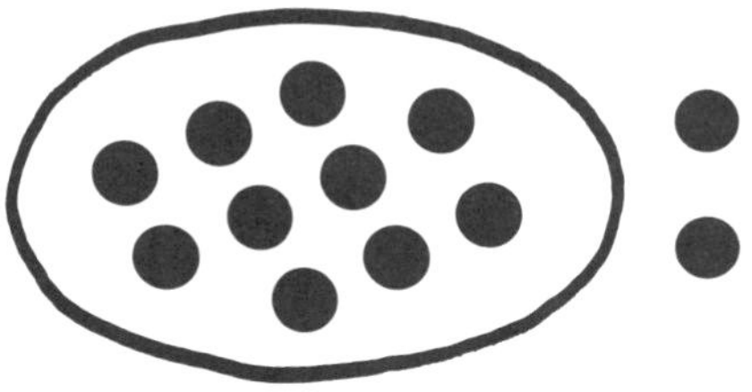 | | |
| 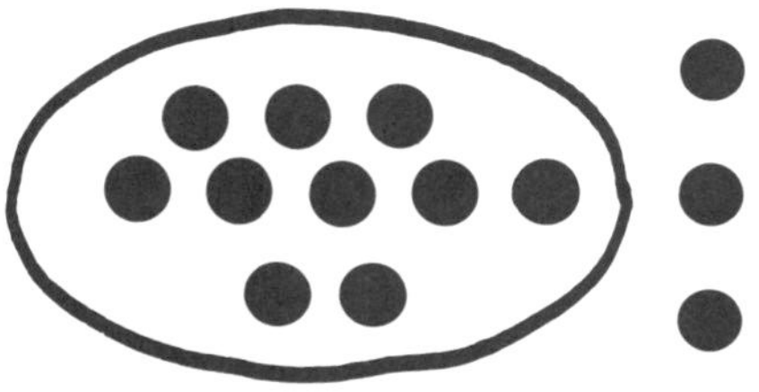 | | |
| 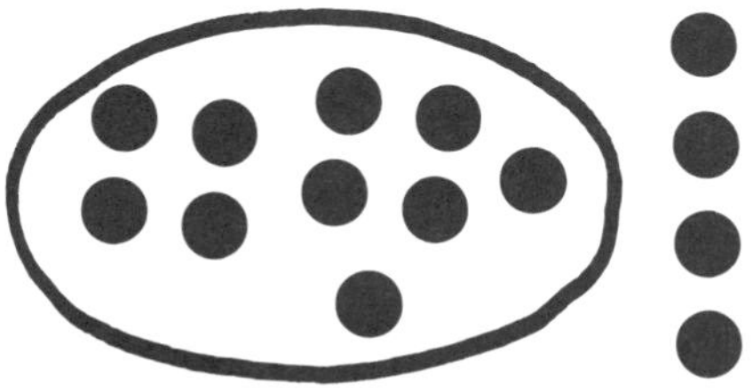 | | |
| 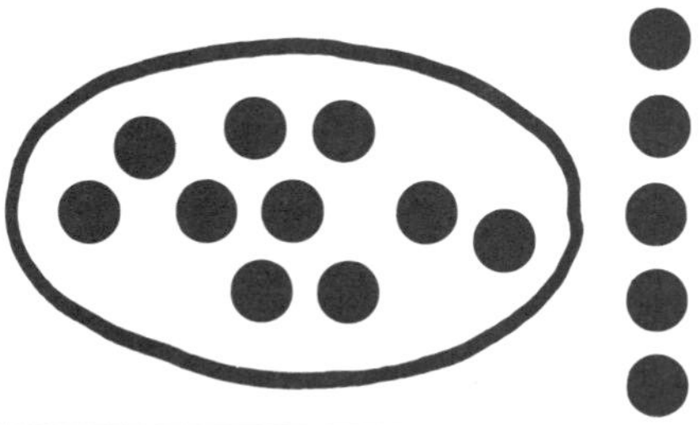 | | |

| | 10s | 1s |
|---|---|---|
| 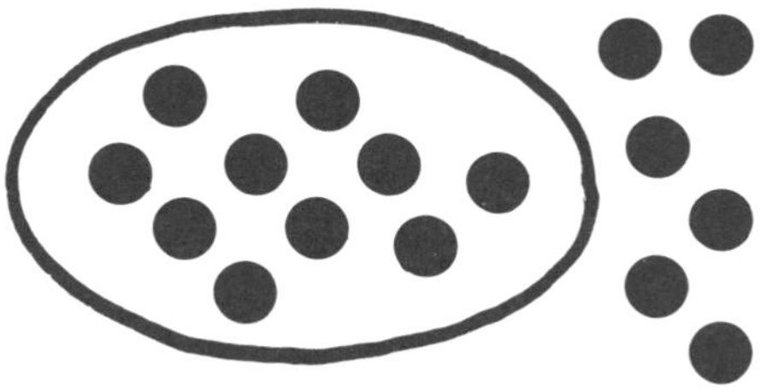 | | |
| 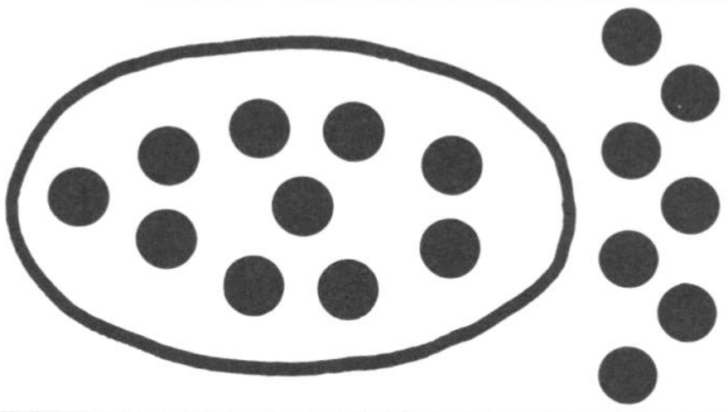 | | |
| 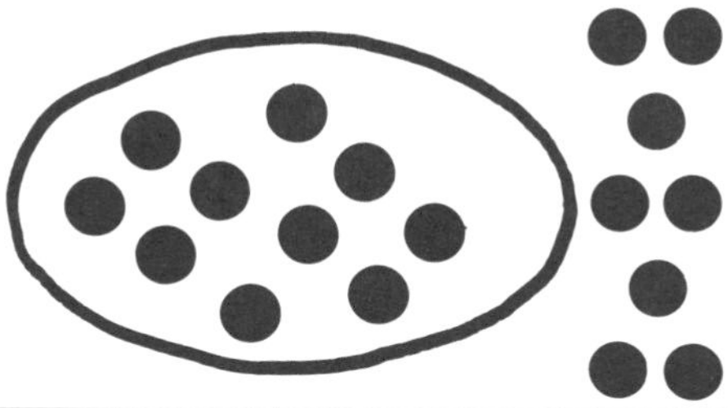 | | |
| 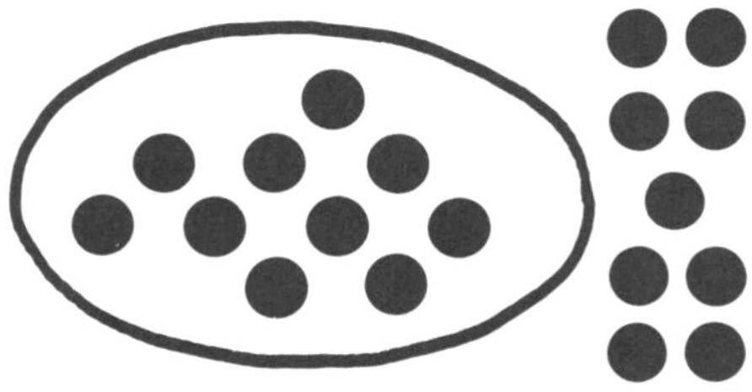 | | |
| 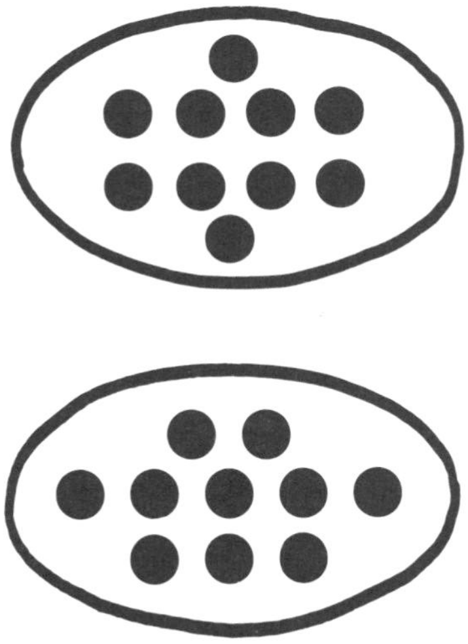 | | |

| 0 | 1 | 2 | 3 | 4 | 5 | 6 | 7 | 8 | 9 | 10 | 11 | 12 | 13 | 14 | 15 | 16 | 17 | 18 | 19 | 20 |
|---|---|---|---|---|---|---|---|---|---|---|---|---|---|---|---|---|---|---|---|---|
| 0 | | | | | | | | | | | | | | | | | | | | |

# 10s and 1s

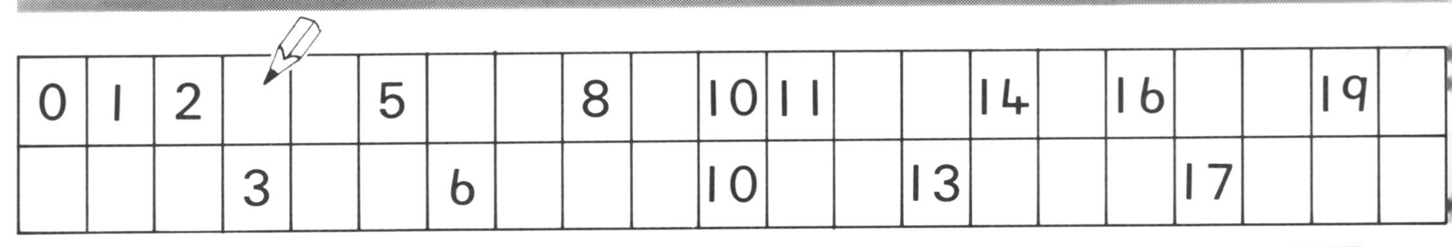

10 + 1 → ☐

10 + 2 → ☐

10 + 3 → ☐

10 + 4 → ☐

10 + 5 → ☐

10 + 6 → ☐

10 + 7 → ☐

10 + 8 → ☐

10 + 9 → ☐

10 + 10 → ☐

18 → [1] 10s and [8] 1s

13 → ☐ 10 and ☐ 1s

11 → ☐ 10 and ☐ 1s

16 → ☐ 10 and ☐ 1s

12 → ☐ 10 and ☐ 1s

14 → ☐ 10 and ☐ 1s

19 → ☐ 10 and ☐ 1s

17 → ☐ 10 and ☐ 1s

20 → ☐ 10s and ☐ 1s

15 → ☐ 10 and ☐ 1s

15 − 5 → ☐

16 − 6 → ☐

11 − 10 → ☐

18 − 10 → ☐

13 − 3 → ☐

14 − 10 → ☐

12 − 2 → ☐

19 − 10 → ☐

20 − 10 → ☐

# The story of 11

□ + □ → 11 | □ + □ → 11
□ + □ → 11 | □ + □ → 11
□ + □ → 11 | □ + □ → 11
□ + □ → 11 | □ + □ → 11

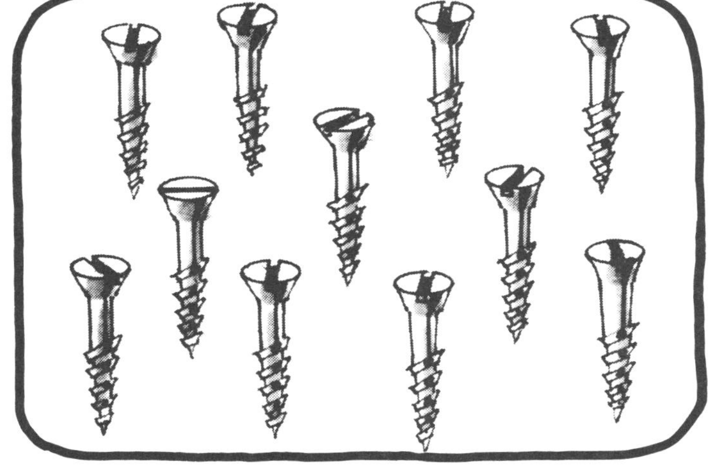

□ + □ → 11   □ + □ → 11   □ + □ → 11   □ + □ → 11

---

0 + □ → 11   1 + □ → 11   2 + □ → 11   3 + □ → 11

4 + □ → 11   5 + □ → 11   6 + □ → 11   7 + □ → 11

8 + □ → 11   9 + □ → 11   10 + □ → 11   11 + □ → 11

---

□ + 2 → 11   □ + 6 → 11   □ + 0 → 11   □ + 3 → 11

□ + 8 → 11   □ + 11 → 11   □ + 5 → 11   □ + 9 → 11

□ + 4 → 11   □ + 7 → 11   □ + 10 → 11   □ + 1 → 11

---

11 − 1 → □   11 − 6 → □   11 − 4 → □   11 − 10 → □

11 − 8 → □   11 − 11 → □   11 − 2 → □   11 − 7 → □

11 − 3 → □   11 − 9 → □   11 − 0 → □   11 − 5 → □

---

# The story of 12

□ + □ → 12 □ + □ → 12

□ + □ → 12 □ + □ → 12

□ + □ → 12 □ + □ → 12

□ + □ → 12 □ + □ → 12 □ + □ → 12 □ + □ → 12

□ + □ → 12 □ + □ → 12 □ + □ → 12

1 + □ → 12 2 + □ → 12 10 + □ → 12 4 + □ → 12

6 + □ → 12 5 + □ → 12 3 + □ → 12 7 + □ → 12

11 + □ → 12 8 + □ → 12 9 + □ → 12 12 + □ → 12

□ + 1 → 12 □ + 10 → 12 □ + 2 → 12 □ + 11 → 12

□ + 4 → 12 □ + 3 → 12 □ + 9 → 12 □ + 6 → 12

□ + 7 → 12 □ + 8 → 12 □ + 5 → 12 □ + 12 → 12

12 − 1 → □ 12 − 2 → □ 12 − 11 → □ 12 − 10 → □

12 − 8 → □ 12 − 12 → □ 12 − 3 → □ 12 − 6 → □

12 − 5 → □ 12 − 4 → □ 12 − 7 → □ 12 − 9 → □

# The story of 13

□ + □ → 13

□ + □ → 13

□ + □ → 13

□ + □ → 13

□ + □ → 13

□ + □ → 13

□ + □ → 13

□ + □ → 13

□ + □ → 13

□ + □ → 13

□ + □ → 13 | □ + □ → 13 | □ + □ → 13 | □ + □ → 13

| | | | |
|---|---|---|---|
| 12 + □ → 13 | 10 + □ → 13 | 11 + □ → 13 | 1 + □ → 13 |
| 9 + □ → 13 | 2 + □ → 13 | 5 + □ → 13 | 6 + □ → 13 |
| 13 + □ → 13 | 7 + □ → 13 | 3 + □ → 13 | 0 + □ → 13 |
| | 8 + □ → 13 | 4 + □ → 13 | |

| | | | |
|---|---|---|---|
| □ + 3 → 13 | □ + 12 → 13 | □ + 10 → 13 | □ + 2 → 13 |
| □ + 5 → 13 | □ + 1 → 13 | □ + 4 → 13 | □ + 6 → 13 |
| □ + 10 → 13 | □ + 7 → 13 | □ + 9 → 13 | □ + 11 → 13 |

| | | | |
|---|---|---|---|
| 13 − 3 → □ | 13 − 2 → □ | 13 − 10 → □ | 13 − 1 → □ |
| 13 − 4 → □ | 13 − 9 → □ | 13 − 12 → □ | 13 − 7 → □ |
| 13 − 8 → □ | 13 − 11 → □ | 13 − 5 → □ | 13 − 0 → □ |
| | 13 − 13 → □ | 13 − 6 → □ | |

# The story of 14

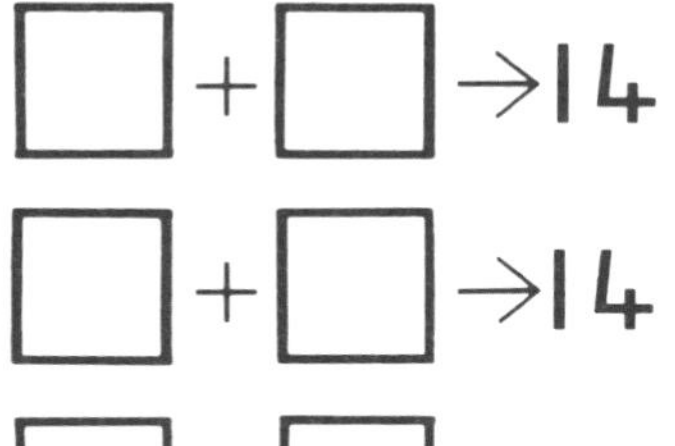
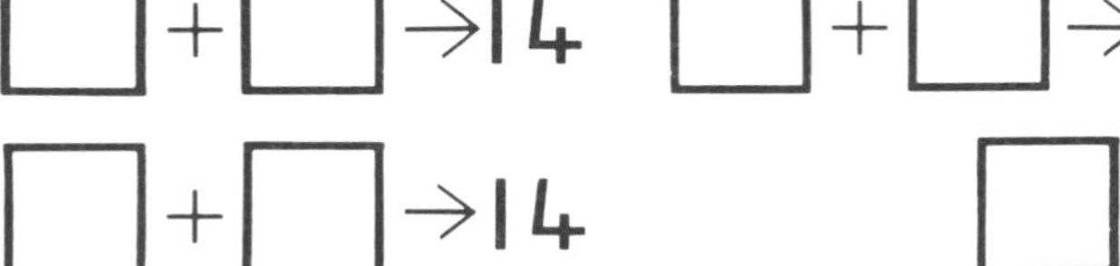

□ + □ → 14    □ + □ → 14
□ + □ → 14    □ + □ → 14
□ + □ → 14    □ + □ → 14
□ + □ → 14    □ + □ → 14
□ + □ → 14    □ + □ → 14    □ + □ → 14    □ + □ → 14
□ + □ → 14    □ + □ → 14    □ + □ → 14

| | | | |
|---|---|---|---|
| 1 + □ → 14 | 10 + □ → 14 | 2 + □ → 14 | 4 + □ → 14 |
| 13 + □ → 14 | 14 + □ → 14 | 5 + □ → 14 | 11 + □ → 14 |
| 3 + □ → 14 | 9 + □ → 14 | 12 + □ → 14 | 7 + □ → 14 |
| 8 + □ → 14 | 0 + □ → 14 | 6 + □ → 14 | |

| | | | |
|---|---|---|---|
| □ + 10 → 14 | □ + 4 → 14 | □ + 2 → 14 | □ + 1 → 14 |
| □ + 3 → 14 | □ + 6 → 14 | □ + 5 → 14 | □ + 7 → 14 |
| □ + 8 → 14 | □ + 11 → 14 | □ + 9 → 14 | □ + 12 → 14 |

| | | | |
|---|---|---|---|
| 14 − 10 → □ | 14 − 1 → □ | 14 − 11 → □ | 14 − 4 → □ |
| 14 − 2 → □ | 14 − 6 → □ | 14 − 3 → □ | 14 − 13 → □ |
| 14 − 5 → □ | 14 − 9 → □ | 14 − 7 → □ | 14 − 8 → □ |
| 14 − 14 → □ | 14 − 12 → □ | 14 − 0 → □ | |

# The story of 15

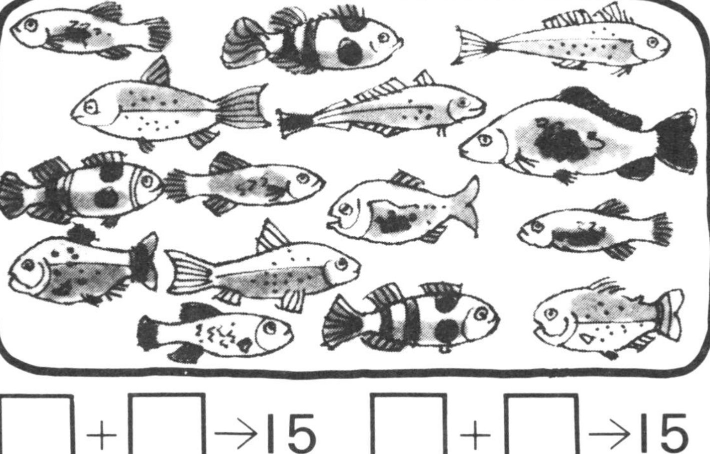

□ + □ → 15    □ + □ → 15

□ + □ → 15    □ + □ → 15

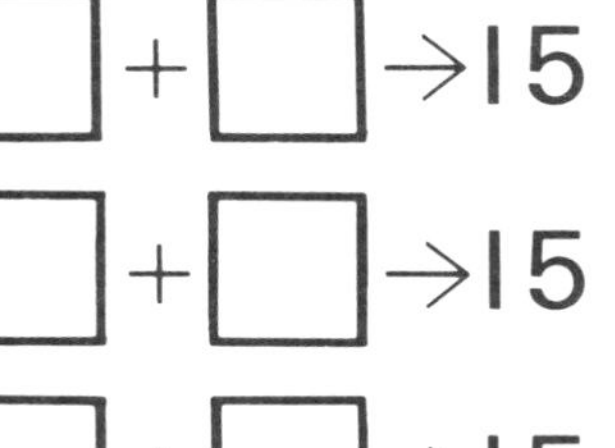

□ + □ → 15    □ + □ → 15

□ + □ → 15    □ + □ → 15

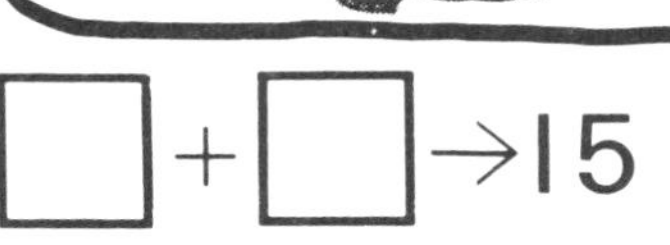

□ + □ → 15    □ + □ → 15    □ + □ → 15    □ + □ → 15

□ + □ → 15    □ + □ → 15    □ + □ → 15    □ + □ → 15

---

1 + □ → 15    5 + □ → 15    11 + □ → 15    4 + □ → 15

3 + □ → 15    7 + □ → 15    2 + □ → 15    9 + □ → 15

0 + □ → 15    12 + □ → 15    0 + □ → 15    8 + □ → 15

4 + □ → 15    6 + □ → 15    13 + □ → 15    15 + □ → 15

---

□ + 0 → 15    □ + 5 → 15    □ + 15 → 15    □ + 10 → 15

□ + 6 → 15    □ + 1 → 15    □ + 9 → 15    □ + 7 → 15

□ + 14 → 15    □ + 11 → 15    □ + 4 → 15    □ + 2 → 15

---

15 − 1 → □    15 − 2 → □    15 − 11 → □    15 − 4 → □

15 − 5 → □    15 − 10 → □    15 − 3 → □    15 − 8 → □

15 − 7 → □    15 − 6 → □    15 − 9 → □    15 − 12 → □

15 − 15 → □    15 − 14 → □    15 − 13 → □    15 − 0 → □

# Adding

| + | 11 | 12 | 13 | 14 | 15 |
|---|---|---|---|---|---|
| 1 | 12 | 13 | | | |
| 2 | 13 | | | | |
| 3 | | | | | |
| 4 | | | | | |
| 5 | | | | | |

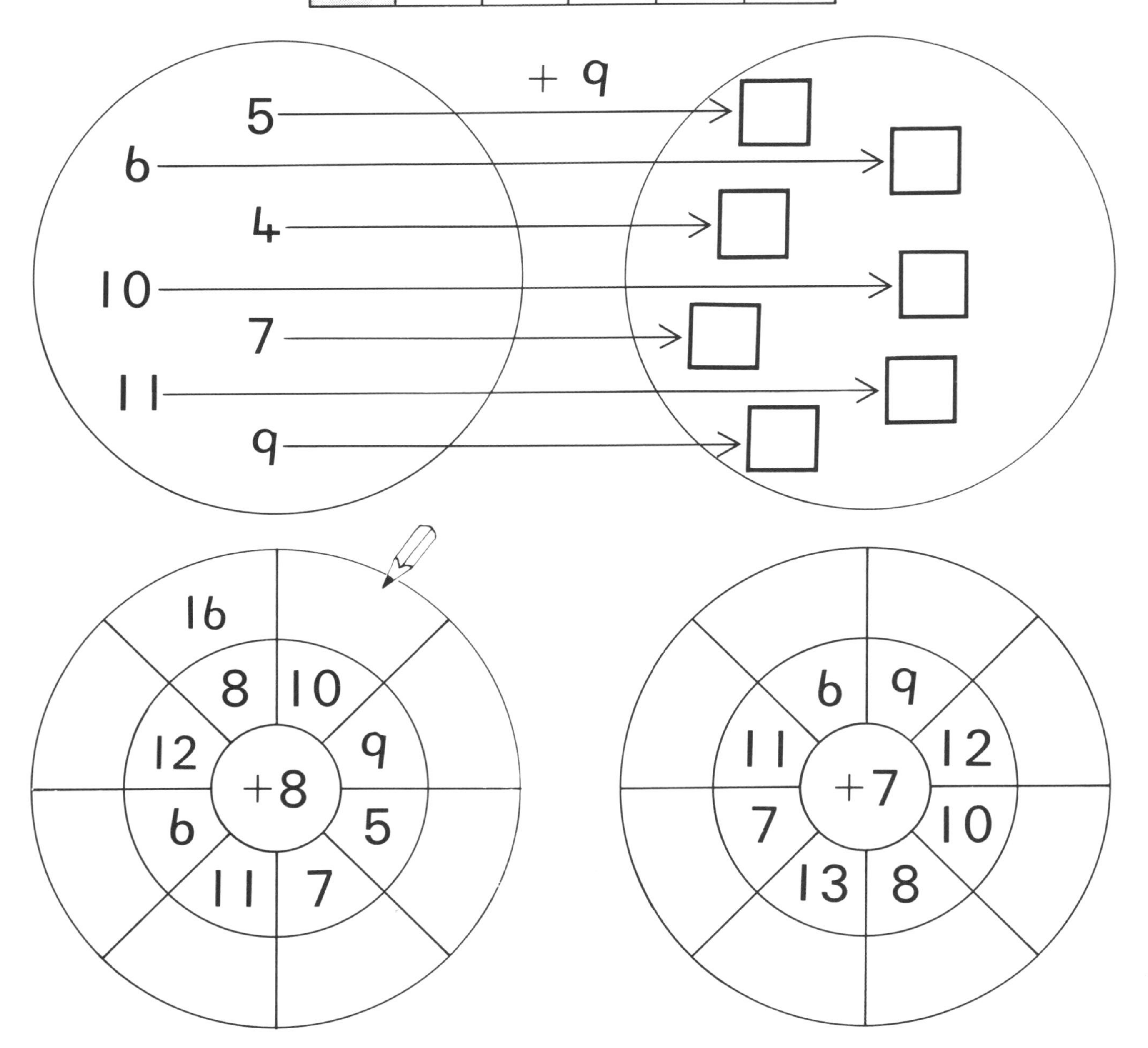

# The story of 16

□ + □ → 16    □ + □ → 16

□ + □ → 16    □ + □ → 16

□ + □ → 16    □ + □ → 16

□ + □ → 16    □ + □ → 16

□ + □ → 16    □ + □ → 16

□ + □ → 16    □ + □ → 16    □ + □ → 16    □ + □ → 16

□ + □ → 16    □ + □ → 16    □ + □ → 16

1 + □ → 16    10 + □ → 16    15 + □ → 16    5 + □ → 16

3 + □ → 16    8 + □ → 16    6 + □ → 16    9 + □ → 16

11 + □ → 16    13 + □ → 16    2 + □ → 16    12 + □ → 16

7 + □ → 16    14 + □ → 16    16 + □ → 16    4 + □ → 16

□ + 1 → 16    □ + 6 → 16    □ + 11 → 16    □ + 5 → 16

□ + 15 → 16    □ + 13 → 16    □ + 3 → 16    □ + 10 → 16

16 − 1 → □    16 − 2 → □    16 − 6 → □    16 − 4 → □

16 − 3 → □    16 − 5 → □    16 − 9 → □    16 − 7 → □

16 − 10 → □    16 − 11 → □    16 − 14 → □    16 − 12 → □

16 − 8 → □    16 − 13 → □    16 − 16 → □    16 − 15 → □

# The story of 17

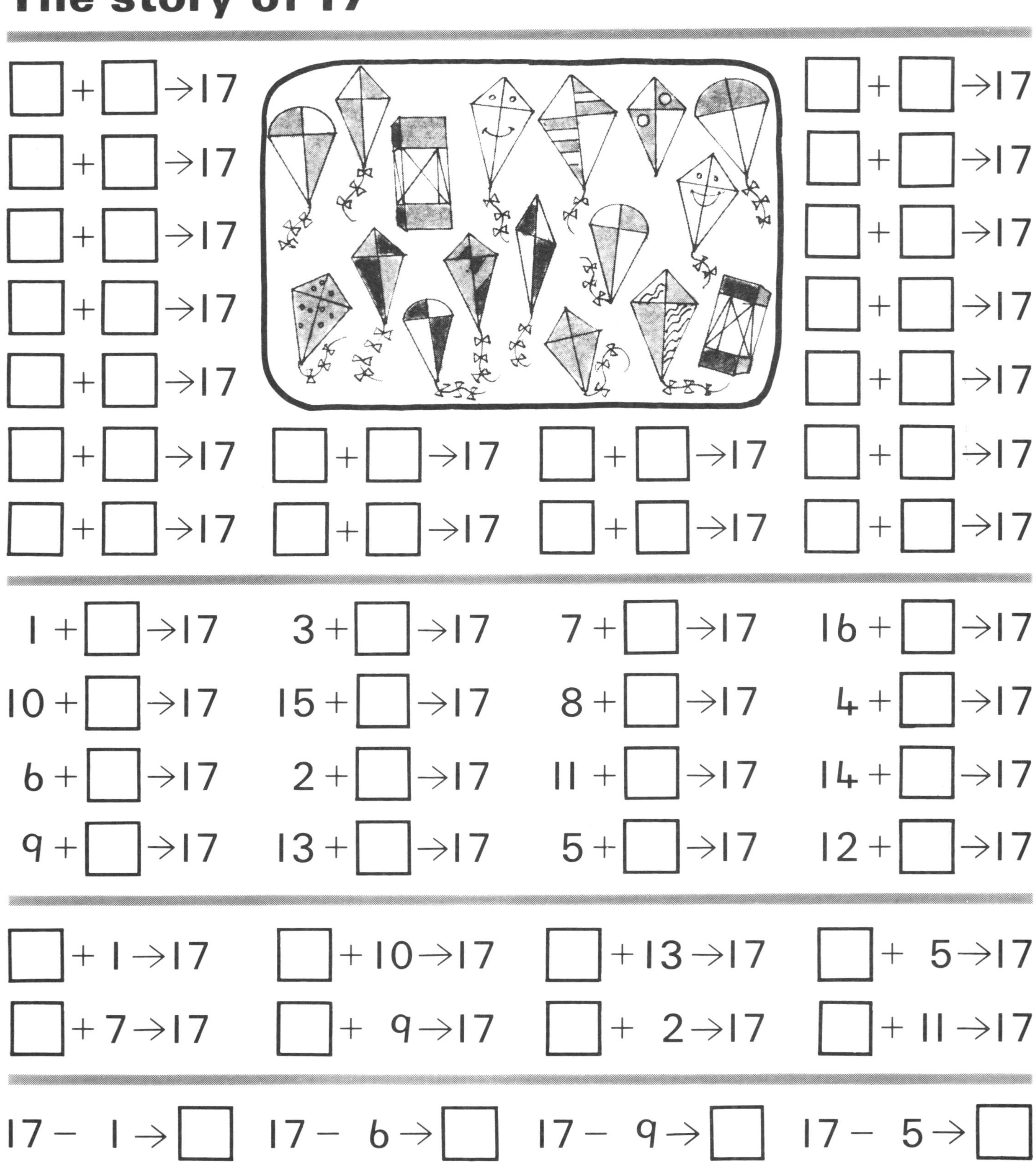

□ + □ → 17　□ + □ → 17
□ + □ → 17　□ + □ → 17
□ + □ → 17　□ + □ → 17
□ + □ → 17　□ + □ → 17
□ + □ → 17　□ + □ → 17
□ + □ → 17　□ + □ → 17　□ + □ → 17　□ + □ → 17
□ + □ → 17　□ + □ → 17　□ + □ → 17　□ + □ → 17

| | | | |
|---|---|---|---|
| 1 + □ → 17 | 3 + □ → 17 | 7 + □ → 17 | 16 + □ → 17 |
| 10 + □ → 17 | 15 + □ → 17 | 8 + □ → 17 | 4 + □ → 17 |
| 6 + □ → 17 | 2 + □ → 17 | 11 + □ → 17 | 14 + □ → 17 |
| 9 + □ → 17 | 13 + □ → 17 | 5 + □ → 17 | 12 + □ → 17 |

| | | | |
|---|---|---|---|
| □ + 1 → 17 | □ + 10 → 17 | □ + 13 → 17 | □ + 5 → 17 |
| □ + 7 → 17 | □ + 9 → 17 | □ + 2 → 17 | □ + 11 → 17 |

| | | | |
|---|---|---|---|
| 17 − 1 → □ | 17 − 6 → □ | 17 − 9 → □ | 17 − 5 → □ |
| 17 − 8 → □ | 17 − 14 → □ | 17 − 2 → □ | 17 − 11 → □ |
| 17 − 3 → □ | 17 − 10 → □ | 17 − 13 → □ | 17 − 15 → □ |
| 17 − 12 → □ | 17 − 4 → □ | 17 − 16 → □ | 17 − 7 → □ |

# The story of 18

□ + □ → 18
□ + □ → 18
□ + □ → 18
□ + □ → 18
□ + □ → 18
□ + □ → 18

□ + □ → 18
□ + □ → 18
□ + □ → 18
□ + □ → 18
□ + □ → 18
□ + □ → 18

□ + □ → 18　□ + □ → 18　□ + □ → 18　□ + □ → 18

□ + □ → 18　□ + □ → 18　□ + □ → 18

---

1 + □ → 18　2 + □ → 18　6 + □ → 18　8 + □ → 18

5 + □ → 18　7 + □ → 18　10 + □ → 18　17 + □ → 18

9 + □ → 18　11 + □ → 18　14 + □ → 18　15 + □ → 18

---

□ + 3 → 18　□ + 9 → 18　□ + 12 → 18　□ + 16 → 18

□ + 13 → 18　□ + 10 → 18　□ + 4 → 18　□ + 11 → 18

---

18 − 1 → □　18 − 2 → □　18 − 7 → □　18 − 11 → □

18 − 10 → □　18 − 5 → □　18 − 14 → □　18 − 9 → □

18 − 4 → □　18 − 12 → □　18 − 3 → □　18 − 13 → □

18 − 8 → □　18 − 6 → □　18 − 15 → □　18 − 17 → □

# The story of 19

| | | | |
|---|---|---|---|
| $\square + \square \rightarrow 19$ | | | $\square + \square \rightarrow 19$ |
| $\square + \square \rightarrow 19$ | | | $\square + \square \rightarrow 19$ |
| $\square + \square \rightarrow 19$ | | | $\square + \square \rightarrow 19$ |
| $\square + \square \rightarrow 19$ | | | $\square + \square \rightarrow 19$ |
| $\square + \square \rightarrow 19$ | | | $\square + \square \rightarrow 19$ |
| $\square + \square \rightarrow 19$ | | | $\square + \square \rightarrow 19$ |
| $\square + \square \rightarrow 19$ | $\square + \square \rightarrow 19$ | $\square + \square \rightarrow 19$ | $\square + \square \rightarrow 19$ |
| $\square + \square \rightarrow 19$ | $\square + \square \rightarrow 19$ | $\square + \square \rightarrow 19$ | $\square + \square \rightarrow 19$ |

| | | | |
|---|---|---|---|
| $1 + \square \rightarrow 19$ | $2 + \square \rightarrow 19$ | $4 + \square \rightarrow 19$ | $8 + \square \rightarrow 19$ |
| $10 + \square \rightarrow 19$ | $15 + \square \rightarrow 19$ | $17 + \square \rightarrow 19$ | $18 + \square \rightarrow 19$ |

| | | | |
|---|---|---|---|
| $\square + 3 \rightarrow 19$ | $\square + 5 \rightarrow 19$ | $\square + 10 \rightarrow 19$ | $\square + 6 \rightarrow 19$ |
| $\square + 9 \rightarrow 19$ | $\square + 7 \rightarrow 19$ | $\square + 11 \rightarrow 19$ | $\square + 17 \rightarrow 19$ |

| | | | |
|---|---|---|---|
| $19 - 1 \rightarrow \square$ | $19 - 4 \rightarrow \square$ | $19 - 6 \rightarrow \square$ | $19 - 9 \rightarrow \square$ |
| $19 - 12 \rightarrow \square$ | $19 - 10 \rightarrow \square$ | $19 - 2 \rightarrow \square$ | $19 - 14 \rightarrow \square$ |
| $19 - 7 \rightarrow \square$ | $19 - 5 \rightarrow \square$ | $19 - 11 \rightarrow \square$ | $19 - 8 \rightarrow \square$ |
| $19 - 16 \rightarrow \square$ | $19 - 18 \rightarrow \square$ | $19 - 5 \rightarrow \square$ | $19 - 13 \rightarrow \square$ |
| $19 - 3 \rightarrow \square$ | $19 - 15 \rightarrow \square$ | $19 - 17 \rightarrow \square$ | $19 - 19 \rightarrow \square$ |

# The story of 20

□ + □ → 20  □ + □ → 20

□ + □ → 20  □ + □ → 20

□ + □ → 20  □ + □ → 20

□ + □ → 20  □ + □ → 20

□ + □ → 20  □ + □ → 20

□ + □ → 20  □ + □ → 20  □ + □ → 20  □ + □ → 20

□ + □ → 20  □ + □ → 20  □ + □ → 20  □ + □ → 20

□ + □ → 20  □ + □ → 20  □ + □ → 20

---

1 + □ → 20  3 + □ → 20  5 + □ → 20  7 + □ → 20

10 + □ → 20  12 + □ → 20  16 + □ → 20  18 + □ → 20

---

□ + 3 → 20  □ + 4 → 20  □ + 6 → 20  □ + 9 → 20

□ + 11 → 20  □ + 8 → 20  □ + 13 → 20  □ + 15 → 20

---

20 − 5 → □  20 − 1 → □  20 − 7 → □  20 − 10 → □

20 − 3 → □  20 − 0 → □  20 − 11 → □  20 − 15 → □

20 − 19 → □  20 − 2 → □  20 − 13 → □  20 − 18 → □

20 − 4 → □  20 − 8 → □  20 − 16 → □  20 − 6 → □

20 − 12 → □  20 − 17 → □  20 − 9 → □  20 − 14 → □

# Adding

| + | 6 | 7 | 8 | 9 | 10 |
| --- | --- | --- | --- | --- | --- |
| 5 | 11 | | | | |
| 6 | | | | | |
| 7 | | | | | |
| 8 | | | | | |
| 9 | | | | | |

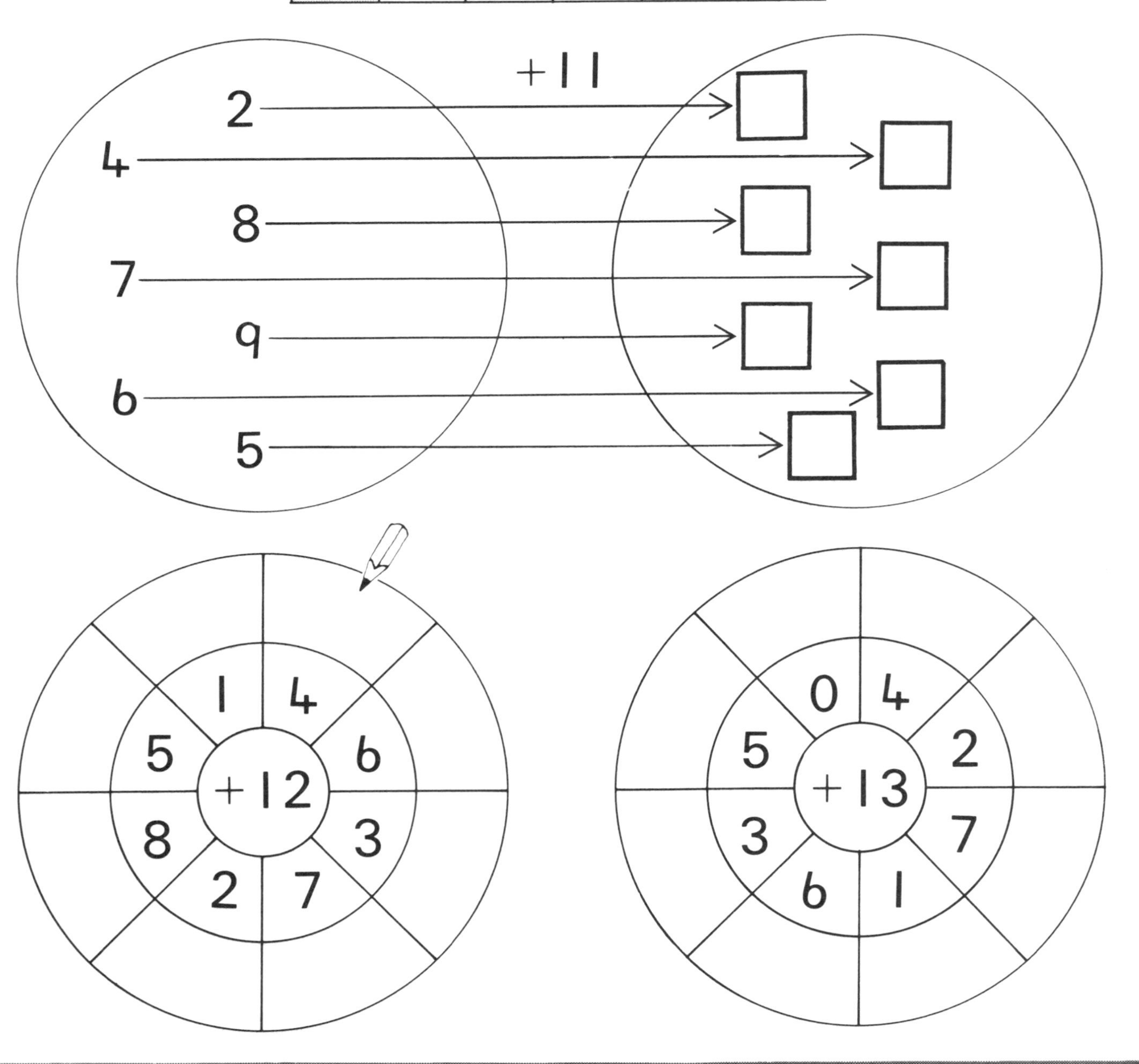

# How much money?

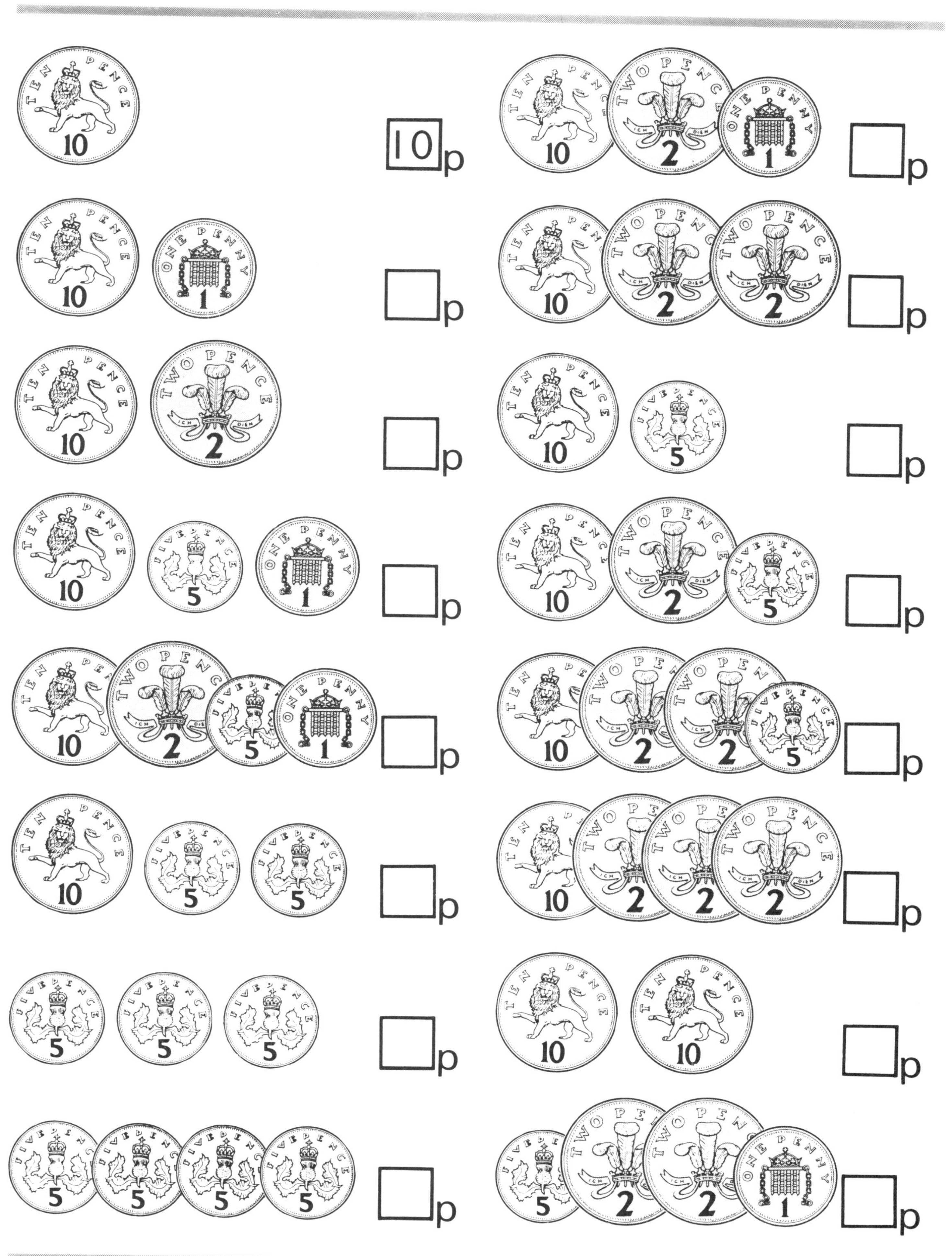

# Draw the money in the purses

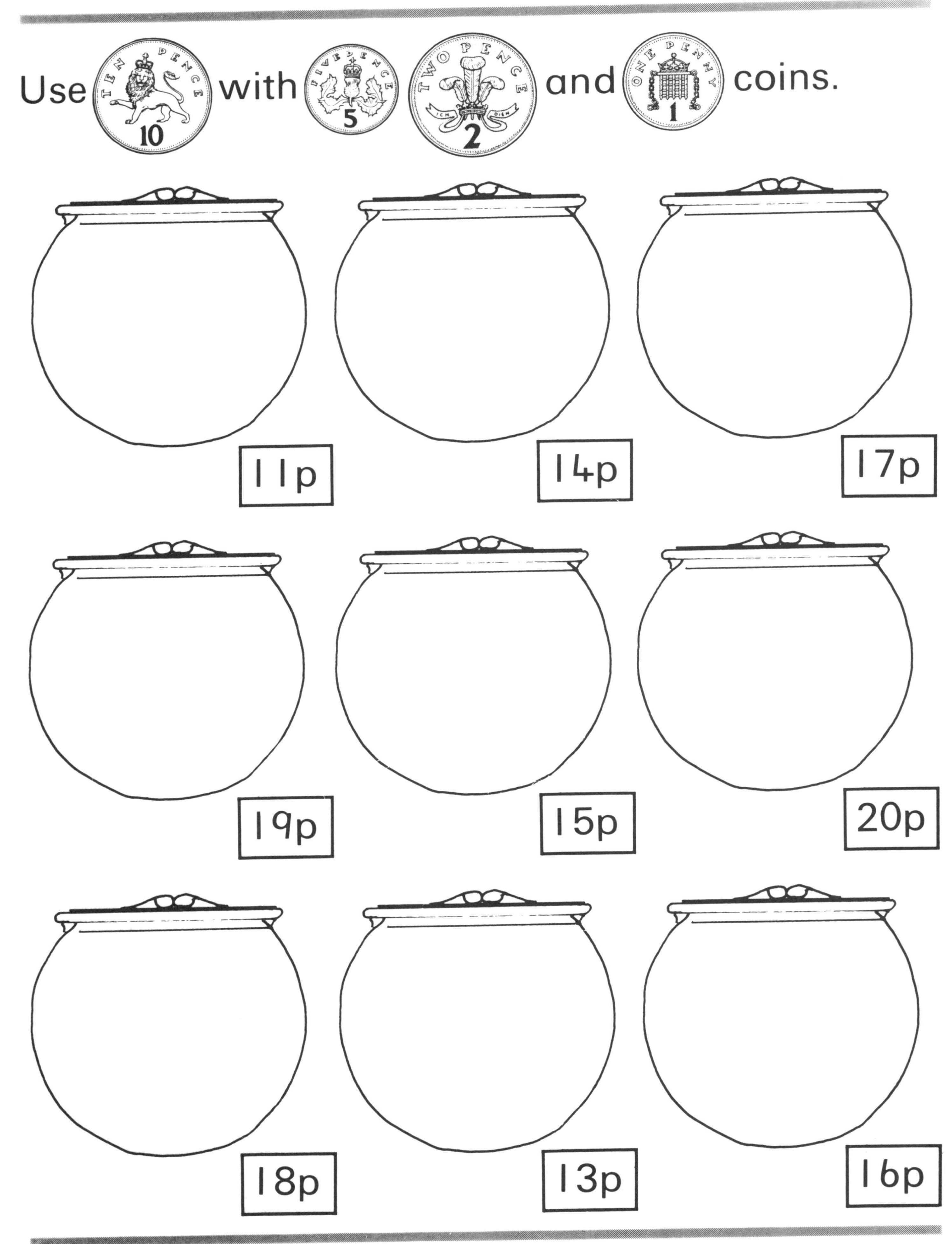

# Shopping
## How much will I spend?

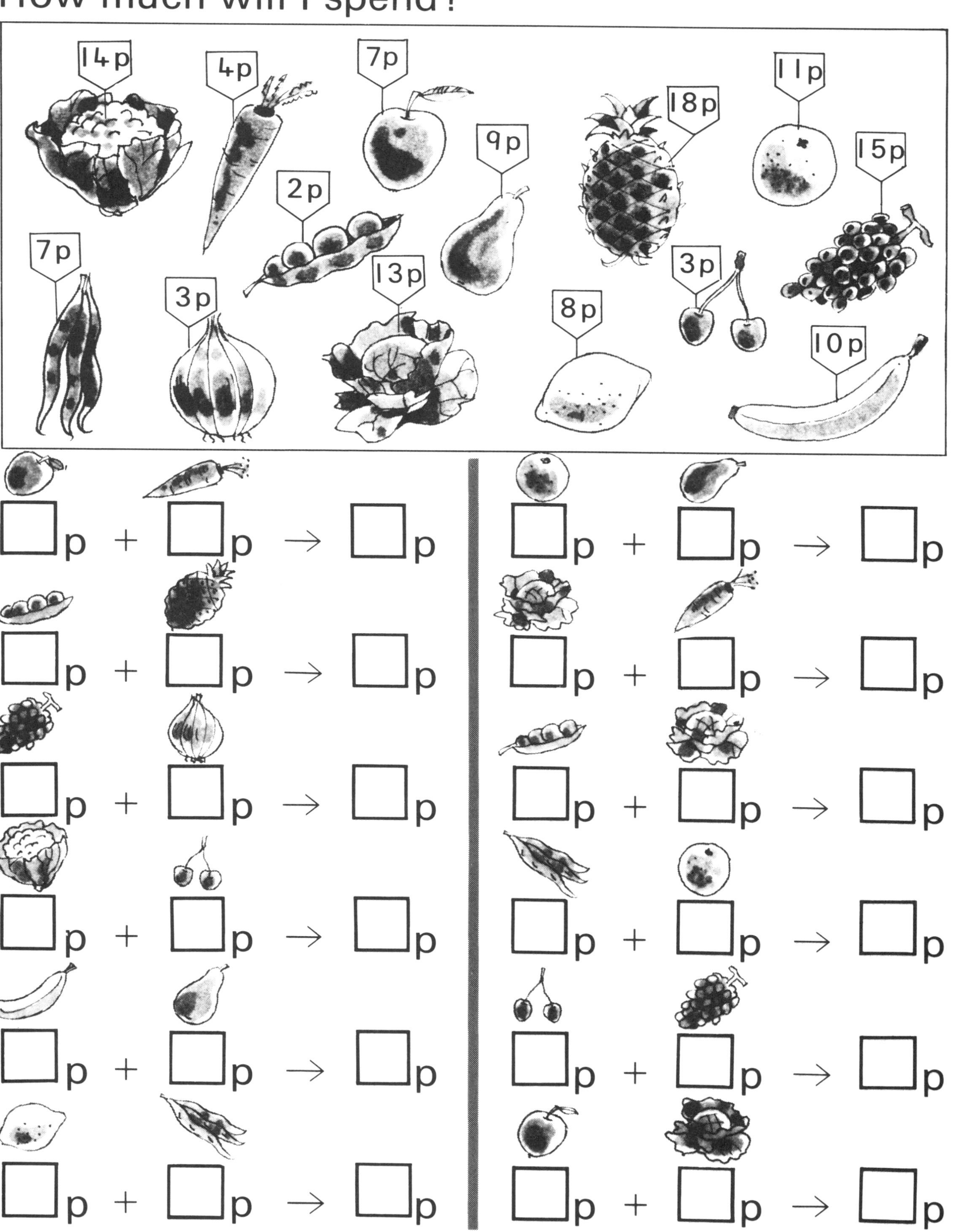

# Shopping

How much change do I get?

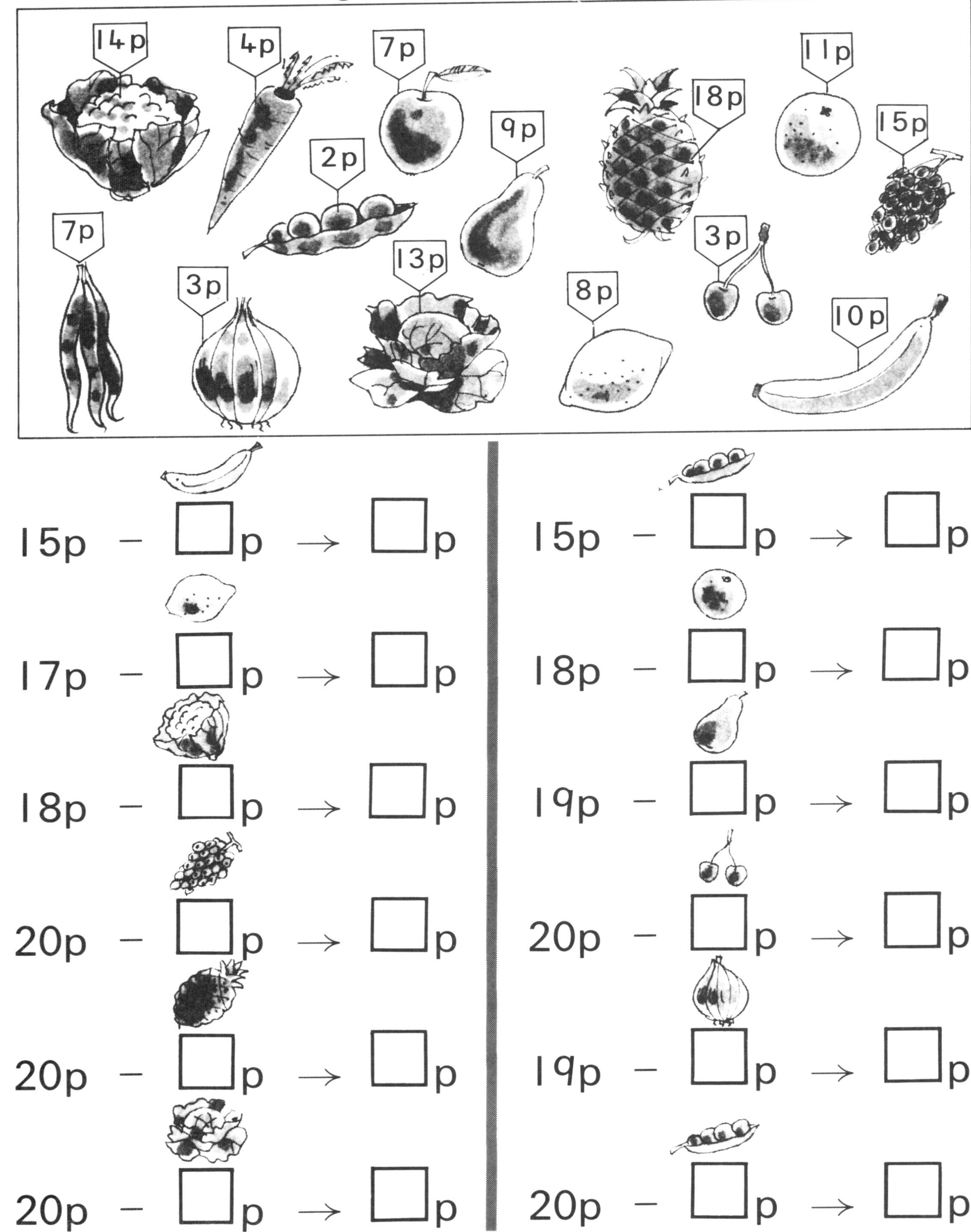

# How many coins make 20p?

| Use 1p | Use 2p | Use 5p | Use 10p | Use 20p |
|---|---|---|---|---|
| 1p 1p 1p 1p 1p 1p 1p 1p 1p 1p 1p 1p 1p 1p 1p 1p 1p 1p 1p 1p | | | | |

# Adding

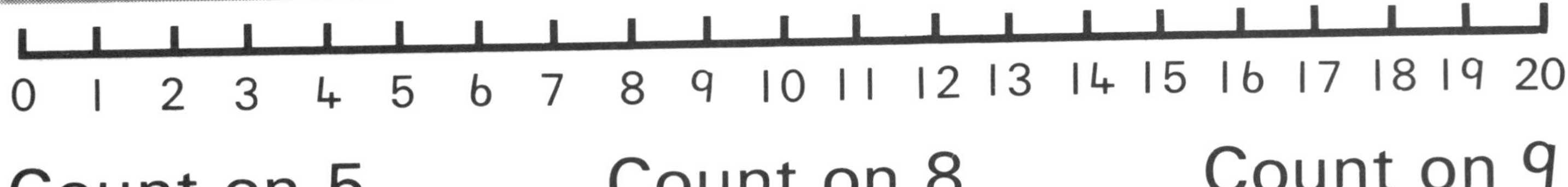


| Count on 5 | Count on 8 | Count on 9 |
|---|---|---|
| 6 → □ | 1 → □ | 7 → □ |
| 9 → □ | 3 → □ | 1 → □ |
| 11 → □ | 7 → □ | 5 → □ |
| 8 → □ | 5 → □ | 3 → □ |
| 12 → □ | 11 → □ | 9 → □ |
| 15 → □ | 10 → □ | 6 → □ |

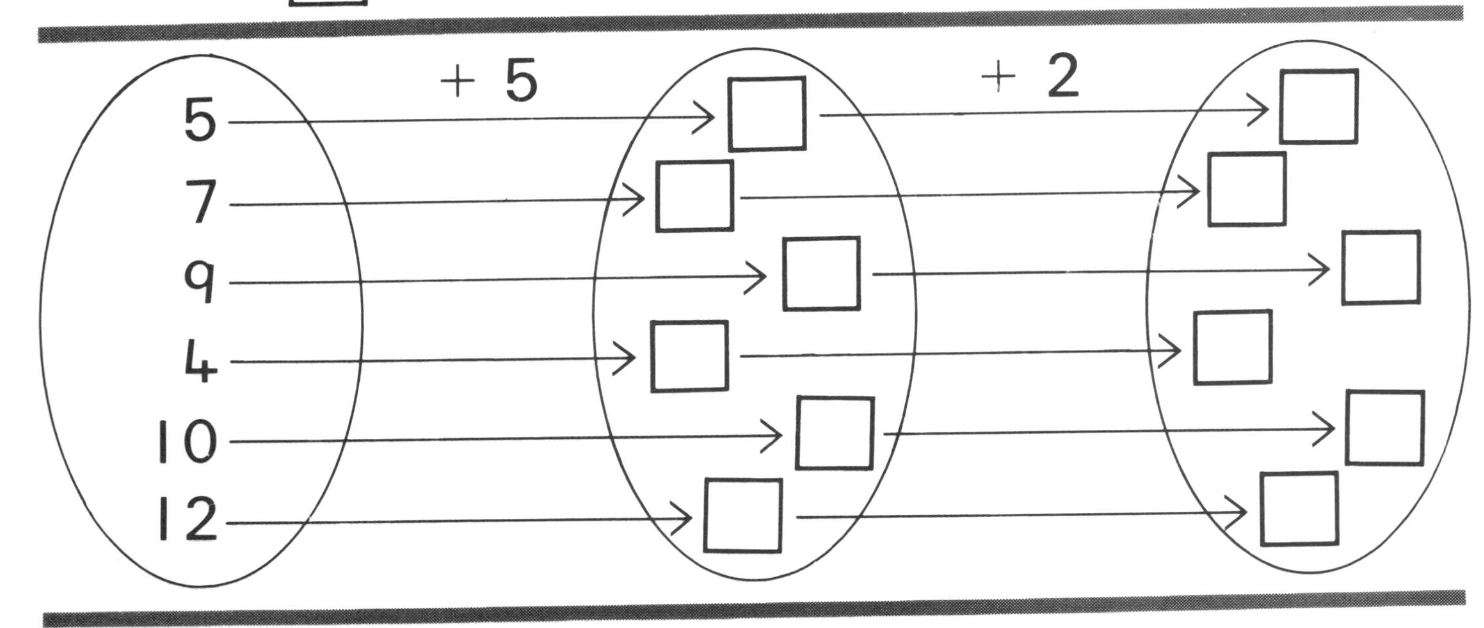


| | | |
|---|---|---|
| 5 + □ → 12 | 11 + □ → 18 | □ + 7 → 13 |
| □ + 1 → 11 | 6 + □ → 14 | □ + 8 → 19 |
| □ + 14 → 16 | 18 + □ → 20 | 4 + □ → 11 |
| 13 + □ → 17 | □ + 9 → 15 | □ + 10 → 20 |

# Taking away

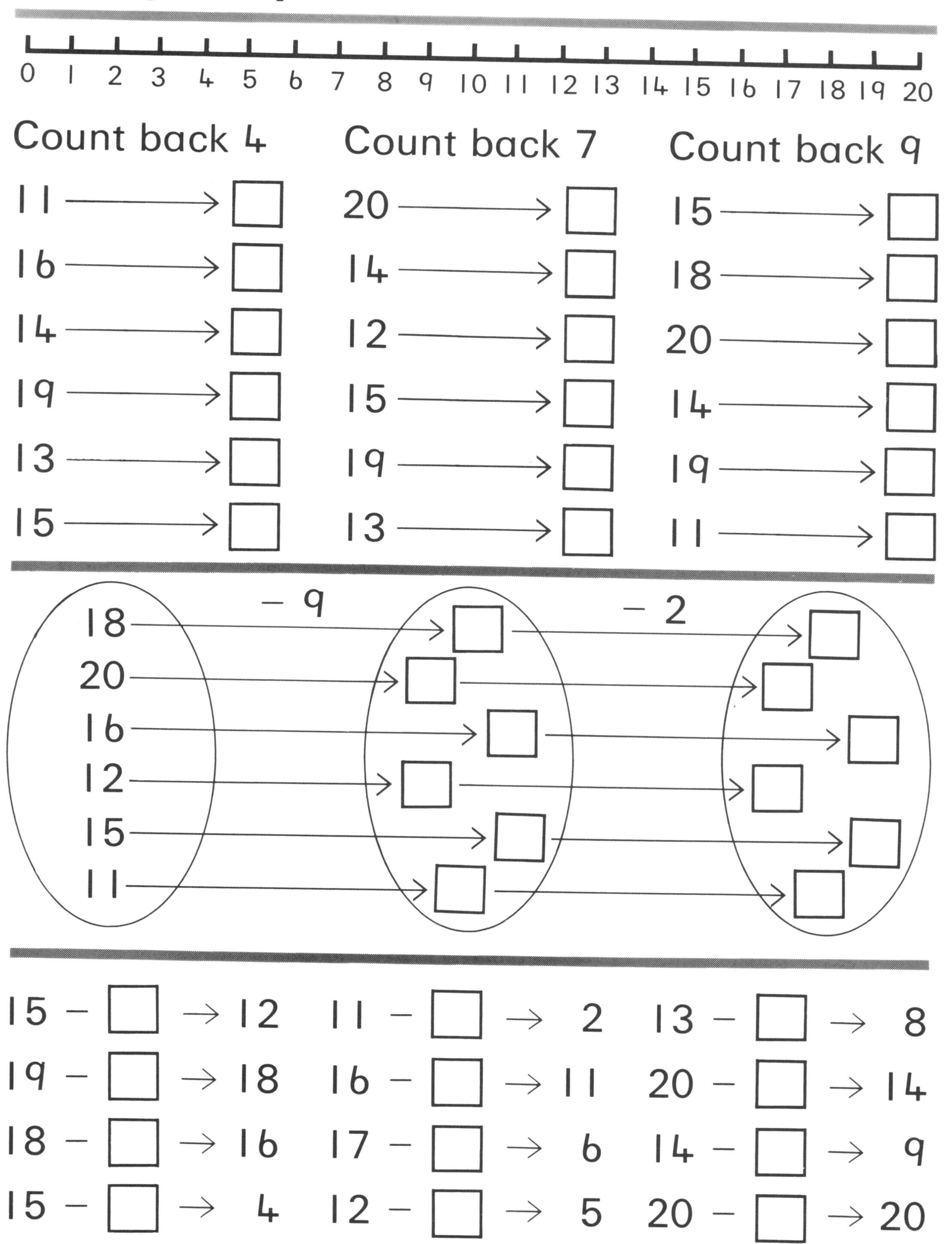

0 1 2 3 4 5 6 7 8 9 10 11 12 13 14 15 16 17 18 19 20
Count back 4
11 →
16 →
14 →
19 →
13 →
15 →
Count back 7
20 →
14 →
12 →
15 →
19 →
13 →
Count back 9
15 →
18 →
20 →
14 →
19 →
11 →
– 9
– 2
18
20
16
12
15
11
15 – → 12
11 – → 2
13 – → 8
19 – → 18
16 – → 11
20 – → 14
18 – → 16
17 – → 6
14 – → 9
15 – → 4
12 – → 5
20 – → 20

# Adding and taking away

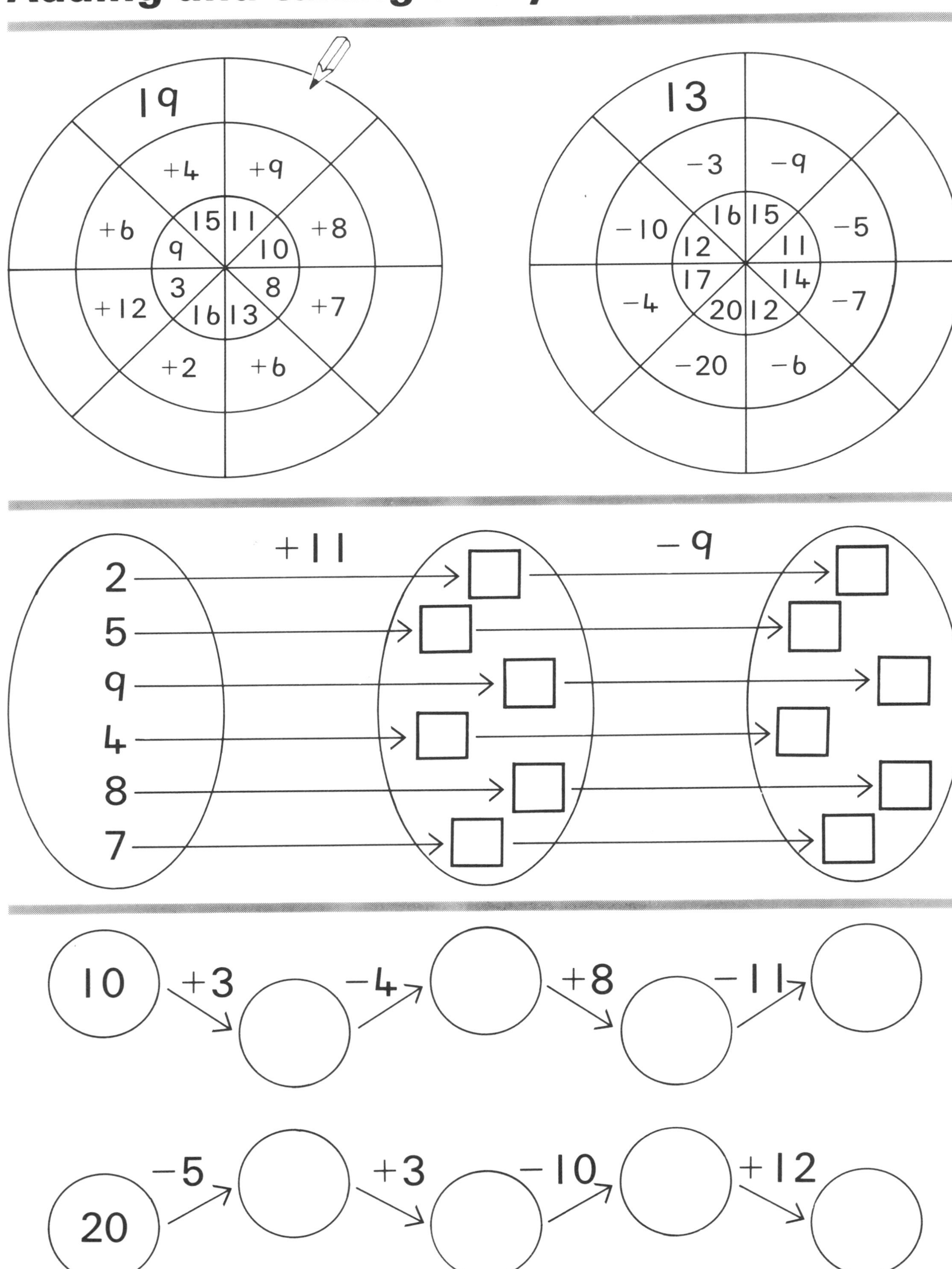

# 2s

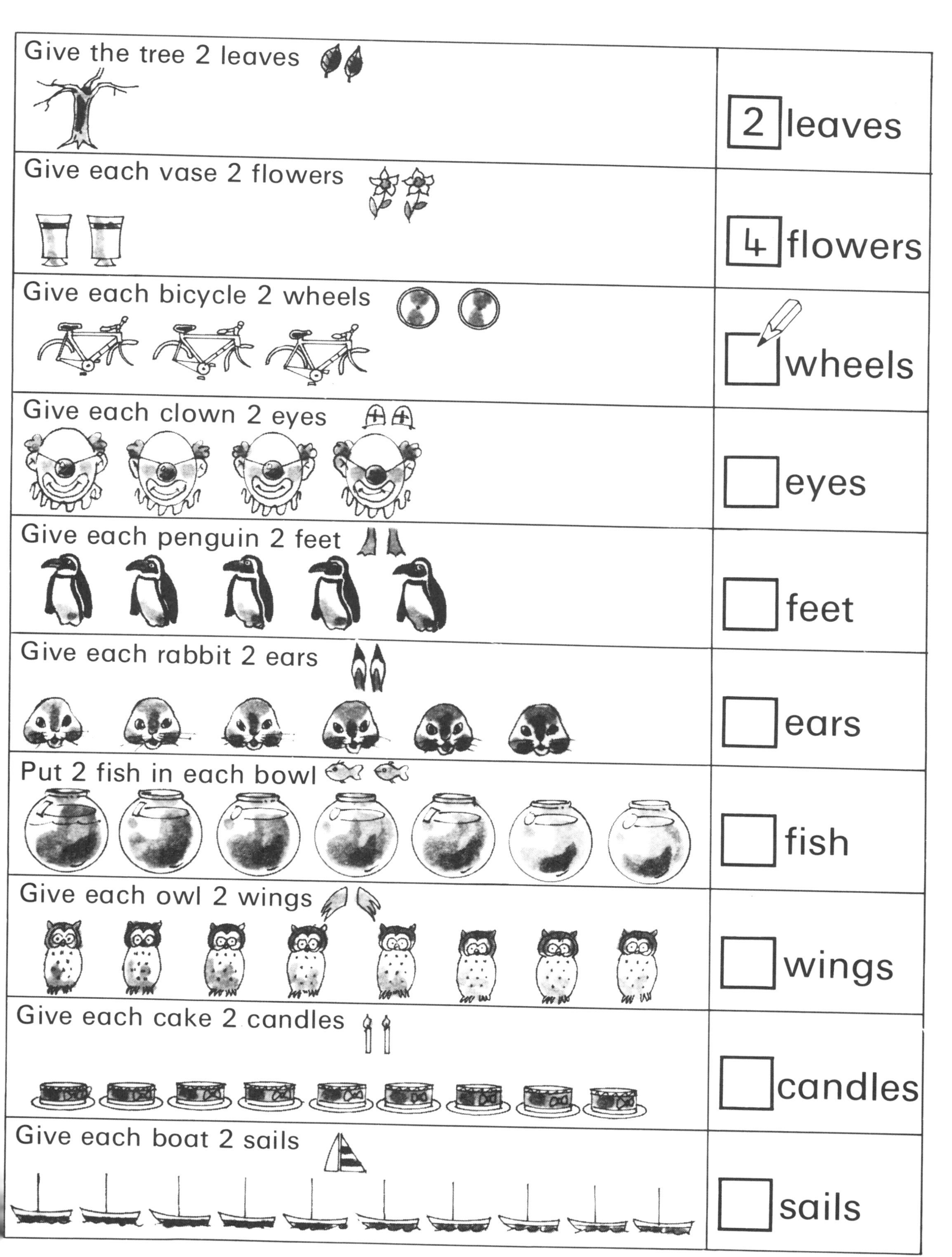

Give the tree 2 leaves
2 leaves
Give each vase 2 flowers
4 flowers
Give each bicycle 2 wheels
wheels
Give each clown 2 eyes
eyes
Give each penguin 2 feet
feet
Give each rabbit 2 ears
ears
Put 2 fish in each bowl
fish
Give each owl 2 wings
wings
Give each cake 2 candles
candles
Give each boat 2 sails
sails

# Count the humps on the camels

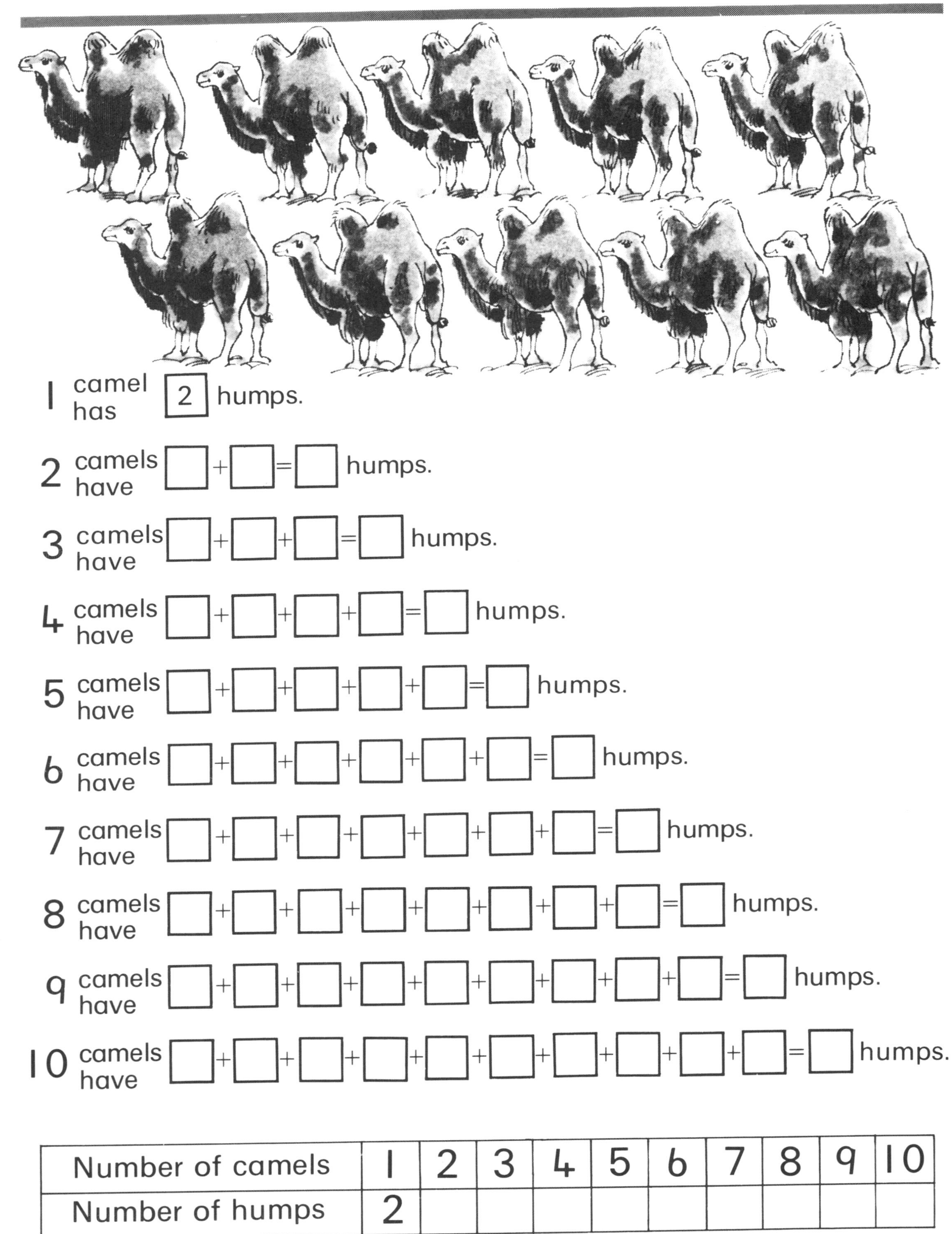

1 camel has [2] humps.

2 camels have □ + □ = □ humps.

3 camels have □ + □ + □ = □ humps.

4 camels have □ + □ + □ + □ = □ humps.

5 camels have □ + □ + □ + □ + □ = □ humps.

6 camels have □ + □ + □ + □ + □ + □ = □ humps.

7 camels have □ + □ + □ + □ + □ + □ + □ = □ humps.

8 camels have □ + □ + □ + □ + □ + □ + □ + □ = □ humps.

9 camels have □ + □ + □ + □ + □ + □ + □ + □ + □ = □ humps.

10 camels have □ + □ + □ + □ + □ + □ + □ + □ + □ + □ = □ humps.

| Number of camels | 1 | 2 | 3 | 4 | 5 | 6 | 7 | 8 | 9 | 10 |
|---|---|---|---|---|---|---|---|---|---|---|
| Number of humps | 2 | | | | | | | | | |

# Colour the 2 family

| 1 | 2 | 3 | 4 | 5 |
|---|---|---|---|---|
| 6 | 7 | 8 | 9 | 10 |
| 11 | 12 | 13 | 14 | 15 |
| 16 | 17 | 18 | 19 | 20 |

Write the 2 family

| 2 | | | | | | | | | |
|---|---|---|---|---|---|---|---|---|---|

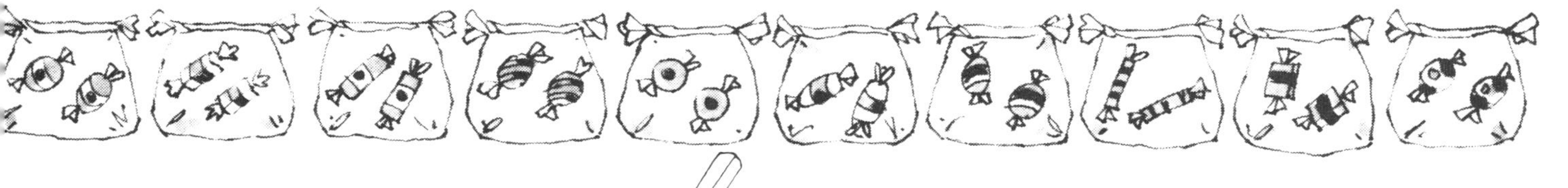

1(2) → 2  2(2) → ☐  3(2) → ☐  4(2) → ☐

5(2) → ☐  6(2) → ☐  7(2) → ☐  8(2) → ☐

9(2) → ☐  10(2) → ☐

8(2) → ☐  3(2) → ☐  9(2) → ☐  7(2) → ☐

6(2) → ☐  1(2) → ☐  5(2) → ☐  10(2) → ☐

# Picture problems

The clown has ☐ balloons.

The monkey has ☐ balloons.

There are ☐ balloons altogether.

There are ☐ skittles.

☐ fall over.

There are ☐ skittles left standing.

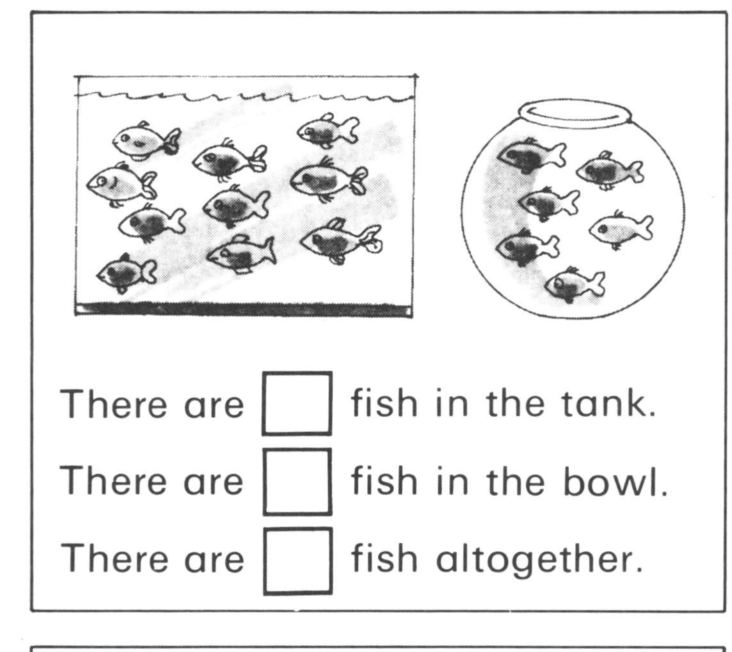

There are ☐ fish in the tank.

There are ☐ fish in the bowl.

There are ☐ fish altogether.

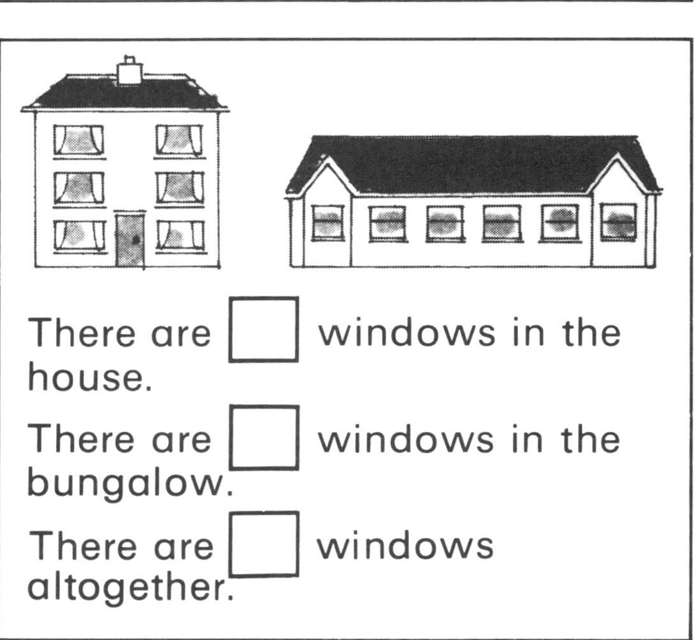

There are ☐ windows in the house.

There are ☐ windows in the bungalow.

There are ☐ windows altogether.

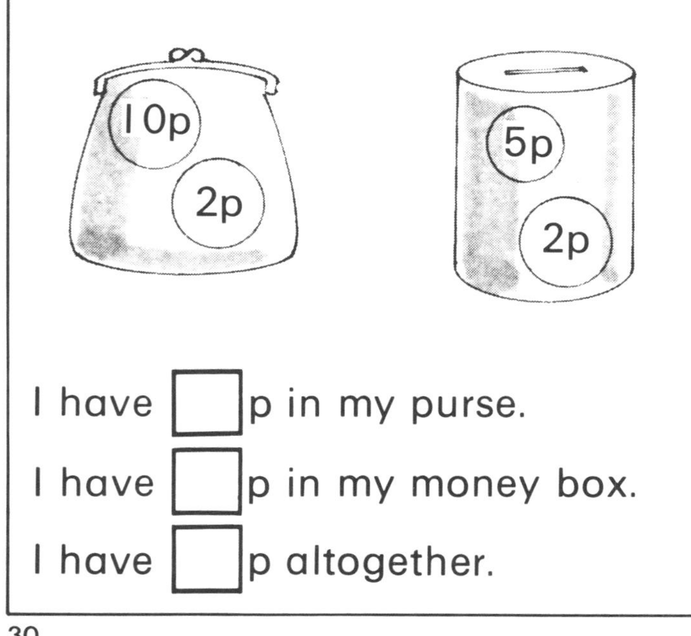


I have ☐ p in my purse.

I have ☐ p in my money box.

I have ☐ p altogether.

There are ☐ buns but the elephant takes ☐ buns.

There are ☐ buns left.